Jolanda Dijkmeijer
Kriebels in de klas
© B.V. Uitgeverij De Banier, Utrecht - 2005
Omslag- en binnenillustraties: Marijke Duffhauss
Vormgeving: Mariëtte Wilgehof
ISBN 90 336 2825 2
NUR 282

Jolanda Dijkmeijer

Kriebels in de klas

De Banier

INHOUD

1. RIK BOUWT EEN HUT

2. DE VLIEGER

3. BRIEFJES

4. JEUK

5. VIEZE BEESTEN

6. MET DE VLIEGER MEE

7. HET BRIEFJE

8. SHAMPOO MET GIF

9. ALLES IN DE WAS

10. VEEL SCHUIM

11. KORT HAAR

12. RUZIE

13. SPIJT?

14. ALWEER RUZIE

15. EEN LESJE HOOFDLUIS

16. OP HET SCHOOLPLEIN

17. BRAM PLAAGT RIK

18. EEN RAADSEL

19. FLAPPIE

20. STOPPEN MET PLAGEN

21. EEN NIEUWE VLIEGER

1. RIK BOUWT EEN HUT

Rik bouwt een hut in de tuin.

Tegen de muur van de schuur.

De hut wordt mooi.

De muren zijn al klaar.

Er moet nog een deur in.

Rik krabt op zijn hoofd.

Hoe zal hij dat doen?

Daar komt mama aan.

Ze brengt een glas thee.

Met melk en veel suiker.

'Hoe gaat het?' vraagt ze.

'Er moet nog een deur in', zegt Rik.

'Maar ik weet niet hoe.'

'Ik heb wel een doek voor je', zegt mama.

'Een doek?' zegt Rik.

'Een deur is van hout, hoor!'

Domme mama, denkt hij.

Hij krabt op zijn hoofd.

'Kriebels?' vraagt mama.

'Er zit zand in mijn haar.'

'Zet je pet op', zegt mama.

'Dan krijg je geen zand meer in je haar.'

Rik drinkt eerst zijn thee op.

Dan haalt hij zijn pet.

2. DE VLIEGER

Rik loopt met Kim naar school.
Kim zit bij Rik in de klas.
Ze heeft een nieuwe
vlieger.
Hij is geel met zwart.
Ze heeft hem zelf gekocht.
Van haar zakgeld.
'Laat je hem op het schoolplein op?'
vraagt Rik.
'Ik vraag aan meester Jos of het mag',
zegt Kim.

Meester Jos vindt de vlieger ook mooi.
'Na schooltijd laten we hem op', zegt hij.
Eerst heeft groep 4 taal.
Daarna schrijven.
Rik doet goed zijn best.

Dan wordt er op de deur geklopt.
Er komt een mevrouw de klas in.
Het is de moeder van Roos.
Ze komt wel vaker.

Ze kijkt op je hoofd of je luizen hebt.

Soms trekt ze aan je haar.

Dat is niet leuk.

Wie luizen heeft, krijgt een briefje.

Kim heeft vaak een briefje.

Bram ook al een keer.

Rik nooit!

3. BRIEFJES

Het is bijna twaalf uur.

'We stoppen ermee', zegt meester Jos.

Hij pakt de vlieger.

'We gaan naar buiten', zegt hij.

Het schoolplein is nog leeg.

De meester vouwt de vlieger uit.

'Wauw, wat een mooie!

Het is net een vogel.'

'Mag ik hem vasthouden?' vraagt Rik.

'Eerst mag Kim', zegt de meester.

Rik staat dicht bij Kim.

Kim pakt het klosje touw.

Meester Jos houdt de vlieger omhoog.

Kim weet precies hoe het moet.

Ze trekt het touw strak.

'Los!' roept ze.

De meester laat de vlieger los.

Kim rent over het plein.
De vlieger gaat omhoog.
Steeds hoger.
'Hij raakt bijna de wolken',
roept de meester.

Kim staat stil.

De vlieger staat hoog in de lucht.

'Mag ik ook?' vraagt Bram.

'Ik ook?' vragen er nog meer.

'Ik ben eerst', roept Rik.

Dan komt de moeder van Roos.

Ze deelt briefjes uit.

Ook Rik krijgt er één.

Hij propt het in zijn broekzak.

'Mag ik nu?'

Kim geeft de klos touw aan Rik.

Hij rolt de klos verder af.

Het touw wordt langer.

De vlieger gaat hoger.

'Goed, hè!' roept Rik.

'Pas op!' roept de meester.

De vlieger suist omlaag.

Met een harde plof valt hij op het plein.

Wat een pech.

14

De schoolbel gaat.

'Nu mogen jullie naar huis', zegt meester Jos.

'Lekker eten en tot straks.'

4. JEUK

Na het eten rent Rik naar school.

Hij zoekt Kim.

Maar hij ziet haar niet.

Hij krabt op zijn hoofd.

Er zit nog steeds zand in zijn haar.

Ook achter zijn oren.

En in zijn nek.

Brrr, het jeukt.

Daar komt Bram aan.

'Hoi', roept hij.

'Jij hebt ook een briefje, hè?'

'Wat voor briefje?' vraagt Rik.

'Van de moeder van Roos.'

'Ik niet!' zegt Rik.

'Ik heb geen luizen.'

'O nee?

Ik zag het zelf', zegt Bram.

'Luizen?'
'Nee, het briefje!'
'Welk briefje?'
'Dat zei ik toch.
Van de moeder van Roos.'

'Ik heb geen briefje', houdt Rik vol.

'Je liegt', zegt Bram.

'Ik lieg niet!

Ik heb écht geen briefje!'

Rik loopt boos weg.

Hij gaat naar het klimrek.

Daar is Kim.

Zonder vlieger.

Jammer.

5. VIEZE BEESTEN

'Wie heeft er een briefje?' vraagt meester Jos.

Er gaan vingers omhoog.

Arno.

Vera.

Hans.

Bram.

Kim niet.

Rik ook niet.

'Kim wel', roept Vera.

'Niet waar', zegt Kim.

'Hoofdluis is niet leuk', zegt meester Jos.

Luuk steekt zijn vinger op.

'Het jeukt, meester.'

'Het is vies', zegt Bram.

'Luizen zijn vieze beesten.

En Rik heeft ze ook, meester.

Hij heeft een briefje.

Ik heb het zelf gezien.'
'Echt niet!' roept Rik.

20

'Je hebt ze zelf!'

'Stop', zegt de meester streng.

'Geen ruzie over hoofdluis.'

De meester pakt het taalboek.

Op het bord schrijft hij: bladzij 9.

Rik pakt zijn boek.

Hij zoekt de bladzij op.

Het gaat over een aap.

Leuk.

Rik houdt van apen.

Zijn hoofd jeukt nog steeds.

Hij krabt.

Het helpt niet.

'Luizen', fluistert Bram.

6. MET DE VLIEGER MEE

Het is avond.

Rik ligt in bed.

Hij slaapt niet.

Buiten is het nog licht.

Zou Kim nog op straat zijn?

Met de vlieger?

Kon hij maar met de vlieger mee.

Hoog de lucht in.

Dan hoeft hij nooit meer naar school!

Dan is er ook geen moeder die in je nek kijkt.

En bij je oren.

En aan je haar trekt.

Oei, wat jeukt het op zijn hoofd.

Rik schuurt met zijn hoofd over het kussen.

Het helpt een beetje.

'Luizen', zei Bram.

Nou, die heeft hij echt niet!

Hij heeft toch ook geen briefje?

Nee hoor, het is zand.

Rik trekt Flip naar zich toe.

Flip is zijn aap.

Hij is lief.

Rik valt in slaap.

Met Flip naast zijn wang.

7. HET BRIEFJE

'Rik!' roept mama.

'Opstaan!'

Rik kruipt onder zijn dekbed.

Mama doet het gordijn open.

Ze pakt zijn kleren van de stoel.

Er valt iets uit zijn broekzak.

'Hé, een briefje', zegt mama.

Rik duwt zijn dekbed weg.

Hij kijkt.

Een briefje?

Waar komt dat vandaan?

Hij probeert het te pakken.

Maar mama is sneller.

Ze raapt het briefje op.

Ze leest wat erop staat.

'Je hebt luis!'

'Niet waar!' roept Rik.

Hij springt uit bed.

'Ik heb geen luis!'

Hij trekt het briefje uit mama's hand.

Hij maakt er een prop van,

en smijt het weg.

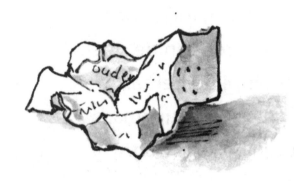

'Ik heb geen briefje!' roept hij.

Hij moet bijna huilen.

Hij bijt op zijn lip.

Mama slaat haar arm om hem heen.

'Het geeft niet, joh.

We gaan straks naar de drogist.

Daar kopen we shampoo.

Morgen zijn de luizen dood.'

'Hoef ik niet naar school?' vraagt Rik.

'Vandaag niet.

Morgen wel.'

8. SHAMPOO MET GIF

Rik gaat met mama naar de drogist.

Ze kopen een fles shampoo.

Ze krijgen er een boekje bij.

Daarin staat wat ze moeten doen.

Ze kopen ook een kam.

Een stofkam.

Die heeft tanden

die dicht naast elkaar staan.

Thuis zet mama een kruk in de keuken.

Rik gaat erop zitten.

Hij krijgt een handdoek om zijn nek.

Mama draait de dop van de fles.

Ze giet de shampoo op zijn hoofd.

'Bah!' roept Rik.

'Het stinkt!'

Hij houdt zijn neus dicht.

Mama wrijft de shampoo in zijn haar.

28

'Zo', zegt ze.

'Nu gaat de luis dood.'

'Van de stank?' vraagt Rik.

'Nee, niet van de stank.

Er zit iets in

waar ze dood van gaan.'

Rik kijkt naar de fles.

Dan weet hij het.

Er zit gif in.

Heel stil blijft hij zitten.

Hij voelt het gif

op zijn hoofd.

'Het is klaar',

zegt mama.

'Kom maar van de

kruk af.'

'Klaar?' roept Rik.

Hij wijst naar zijn

hoofd.

'Daar zit gif!'

'Gif?' vraagt mama.

'Ja', zegt Rik.

'Shampoo met gif.

Van gif ga je dood.'

'Nee hoor', lacht mama.

'Er zit echt geen gif in.

En je gaat niet dood.

Voor je naar bed gaat, was ik je haar.

Dan is het weer schoon.'

'Is de luis dan weg?'

'Ja, dan is de luis weg.'

Net goed! denkt Rik.

Stomme luizen!

9. ALLES IN DE WAS

Rik rent door de gang.

Hij speelt met zijn vliegtuig.

Best leuk, een dagje vrij.

Zoef, daar gaat het vliegtuig omhoog.

En weer omlaag.

Nu vliegt hij langs de trap.

Dat gaat hard!

Net zo hard als de vlieger van Kim.

Boem!

Rik rent tegen mama aan.

'Au!' zegt mama.

Ze wrijft over haar arm.

'Aan de kant', roept Rik.

'Ik vlieg naar de Noordpool.'

'Ik weet iets beters', zegt mama.

'Vlieg maar naar je kamer.

En haal Flip voor mij op.'

'Flip?'

'Ja', zegt mama.

'Flip moet in de was.

Net als je jas.

Je pet.

Je dekbed.

En je kussen.'

'Waarom?' vraagt Rik.

'Omdat daar ook luis in zit.'

'Hoe kan dat?'

'Luizen lopen', legt mama uit.

'Ze lopen van je hoofd naar je jas.

Als je slaapt, lopen ze over je kussen.

Daar ligt Flip.

Ze kruipen ook onder je dekbed.

In de was gaan ze dood.'

'Flip mag niet in de was.
Dat vindt hij niet leuk.'
'Flip merkt er niets van.
Haal hem maar.'
Rik heeft geen zin.
'Schiet op', zegt mama.
Rik gaat naar boven.
Hij vindt het niet leuk.
Maar het moet.

10. VEEL SCHUIM

Papa laat water in het bad lopen.

'Kom je, Rik?' roept hij.

Rik stapt in bad.

'Mag er schuim in?'

Papa geeft de fles badschuim.

Rik knijpt zo hard hij kan.

'Ho, ho', zegt papa.

'Niet zoveel schuim.

Straks zie ik je niet meer.'

'Het moet', zegt Rik.

Hij knijpt nog een keer.

Papa pakt de fles af.

'Mag ik je niet meer zien?'

'Jawel', zegt Rik.

'Maar toch moet er veel schuim in.'

'Ik snap er niks van', zegt papa.

'Leg eens uit.'

Rik wijst naar zijn haar.

'Daar zit gif in.

Van gif gaan de luizen dood.'

'Zo', zegt papa.

'Dat klinkt eng.'

'Ja', zegt Rik.

'Ik vind het gemeen.'

'Wat vind je gemeen?'

'Dat ik luizen heb.'

'Daar kun je niks aan doen', zegt papa.

'Soms heeft Kim luizen', zegt Rik.

'En Bram ook.

Het is hun schuld!'

'Het is niemands schuld, Rik.

Een luis loopt waar hij zelf heen wil.

Net als een vlieg.

Die vliegt waar hij heen wil.

11. KORT HAAR

Rik zwemt door het bad.

Zijn haar zit vol schuim.

Papa grijpt hem bij zijn voet.

'Stop!' roept hij.

'Nu al?' vraagt Rik.

'Ik wil nog drie keer heen en weer.'

'Niks ervan', zegt papa.

Hij spoelt het haar van Rik goed uit.

Rik voelt aan zijn haar.

'Zit er geen gif meer in?'

'Er zat nooit gif in', zegt papa.

Papa droogt Rik af.

Rik trekt zijn badjas aan.

Mama wacht op hem.

Een hoge kruk staat klaar.

Op tafel liggen een kam en een schaar.

'Nee, hè!' roept Rik.

'Ik wil niet geknipt worden!'
'Kort haar is beter',
zegt mama.
'Met kort haar zie je
luizen sneller.
Dan kam je ze er
gewoon uit.
Daarvoor hebben we
een stofkam gekocht.'
'Hoef ik dan geen
stinkspul op
mijn hoofd?'
'Nee,
dat hoeft niet.'
Rik klimt op de kruk.
'Ik wil niet kaal
worden, hoor.'

Mama knoopt een handdoek om zijn nek.

Knip knip knip.

Riks haren vallen op de grond.

Knip knip knip.

Er vallen nog meer haren op de grond.

'Hoe lang duurt het nog?' vraagt Rik.

'Ik ben bijna klaar', zegt mama.

Rik voelt aan zijn hoofd.

Zijn haar is heel kort.

Net zo kort als bij Bram.

Toen Bram luizen had.

12. RUZIE

Vandaag moet Rik weer naar school.

Hij heeft geen zin.

Mama kijkt op de klok.

'Het is tijd, Rik.'

Rik haalt zijn jas.

Zijn rugzak staat al klaar.

Hij geeft mama een zoen.

Langzaam loopt Rik naar school.

Wat zullen ze zeggen?

Hij had wel een briefje.

Maar hij wist het niet meer.

Echt niet.

En die kriebels?

Hij dacht dat het zand was.

Maar het waren luizen.

Rik is blij dat ze weg zijn.

Nu heeft hij ook geen jeuk meer.

Hij loopt het schoolplein op.

Bij het klimrek staat Bram.

Bram heeft kort haar.

Net als Rik.

Bram wijst naar Rik.

'Ha, ha, Rik heeft luizen!'

'Je hebt zelf luizen', roept Rik.

'En het is jouw schuld!'

'Echt niet!'

'Wel waar!'

'Als je dat nog één keer zegt...'

'Wat dan?'

'Dan krijg je een dreun.'

Bram maakt een vuist.

Hij geeft Rik een knal op zijn wang.

Rik valt van schrik op de grond.

Bram springt op hem.

Rik vecht zich los.

Hij voelt een hand om zijn arm.

Het is meester Jos.
'Naar binnen', zegt hij.

13. SPIJT?

Rik voelt aan zijn wang.

Het doet pijn.

Bram sloeg hard.

Heel hard!

Meester Jos is weer naar buiten.

Denk eerst maar eens na, zei hij.

En maak het dan weer goed.

Dat hoeft voor Rik niet.

Het is de schuld van Bram.

Hij sloeg!

'Je had wel luis', sist Bram.

'Jij had ze ook', zegt Rik boos.

'Nu niet meer.'

'Ik heb ze ook niet meer.

En het was jouw schuld', zegt Rik.

'Wat is mijn schuld?' vraagt Bram.

'Dat ik luizen had.'

'Echt niet!' roept Bram.

'Jouw jas hangt naast de mijne.

Daar krijg ik luizen van.'

'Daar kan ik niks aan doen', zegt Bram.

De bel gaat.

Straks komt de meester.

Rik weet al wat hij dan vraagt.

Hij heeft er geen zin in.

Toch steekt hij zijn hand uit naar Bram.

'Het spijt me', zegt hij.

'Mmm', mompelt Bram.

14. ALWEER RUZIE

Groep 4 komt de klas in.

Meester Jos klapt in zijn handen.

'Pak je stoel', roept hij.

'We gaan eerst in de kring.'

Bram en Rik pakken hun stoel.

Ze gaan niet naast elkaar zitten.

Bram zit tussen Luuk en Kim.

Rik tussen Vera en Hans.

Eerst zingen ze een lied.

Dan kijkt de meester naar Bram en Rik.

'Wat was er aan de hand?' vraagt hij.

'Rik heeft vieze luizen, meester', zegt Bram.

'Ik heb ze niet meer', roept Rik.

'Stop', zegt de meester.

'Nu gaan jullie weer ruzie maken.'

De meester kijkt de kring rond.

'Wie heeft er wel eens luizen gehad?'

Veel vingers gaan omhoog.

Ook de vinger van de meester.

'U ook?' vraagt Kim.

'Ja', zegt meester Jos.

'De moeder van Roos kijkt ook

op mijn hoofd.

Soms ziet ze een luis.

Of een eitje van een luis.'

Ze lachen.

Ha, ha, de meester heeft ook luizen.

'Wie weet hoe een luis eruit ziet?'

vraagt meester Jos.

Het blijft stil in de klas.

'Wie weet hoe gróót een luis is?'

Vera steekt haar vinger op.

'Hij is klein, meester.'

'Hoe klein?'

'Zo klein als een mier.'

'Ik merk het al', zegt de meester.

'Het is tijd voor een lesje hoofdluis.'

15. EEN LESJE HOOFDLUIS

Meester Jos loopt naar het bord.
Hij tekent een beest met zes poten.

'Dit is een luis', zegt hij.
'Zo groot, meester?' vraagt Rik.
'Nee hoor', lacht de meester.

Hij haalt iets uit een doosje.

Het is een speld.

'Zien jullie het knopje van de speld?'

'Het is veel te klein, meester', zegt Bram.

'Zo klein zijn hoofdluizen', legt de meester uit.

Hij loopt met de speld de kring rond.

Zo kan iedereen zien

hoe klein een hoofdluis is.

Meester Jos gaat weer zitten.

'Een hoofdluis woont het liefst op je hoofd.

Hij zuigt bloed uit je hoofd.

Daar leeft hij van.

Tussen je haren legt hij eitjes.

Uit die eitjes komen baby's.

Die worden groot.

En leggen ook weer eitjes.

Zo komen er steeds meer luizen.'

'Bah!' roept iedereen.

'Bloed?'

'Vies!'

'Eitjes?'

'Eng!'

'Een béétje eng is het wel', zegt de meester.

'Maar het zijn geen monsters, hoor!'

'Grrr', gromt Rik.

'Een luis gromt niet, Rik', lacht de meester.

'Luizen zijn wel lastig.

Ze jeuken.

Ze lopen van het ene hoofd naar het andere.

Ze zoeken schoon haar.

En een warm plekje.'

De meester wijst naar Rik.

'Kijk, Rik heeft kort haar.

Dat is koud.

Dat vindt een luis niet fijn.'

'Toch vind ik het vies', zegt Bram.

Rik kijkt nog eens naar het bord.

Een beest met zes poten.

Die had hij op zijn hoofd.

Brrr.

16. OP HET SCHOOLPLEIN

Kim staat bij het tuinhek.

Rik is in de hut.

'Rik?' roept ze.

Rik hoort niks.

Hij slaat een spijker in een plank.

'Rik?' roept Kim harder.

Nu kijkt hij op.

'Ga je mee?'

Ze houdt de vlieger omhoog.

'Waar ga je heen?'

'Naar het schoolplein.'

Rik gooit de hamer op de grond.

'Mam', roept hij.

'Ik ga met Kim mee.'

Mama vindt het goed.

Ze lacht en zwaait.

Het schoolplein is leeg.

Rik houdt de vlieger omhoog.

Kim rolt het touw af.

Er is veel wind.

Rik houdt de vlieger stevig vast.

'Ik tel tot drie', roept Kim.

'EEN...

TWEE...

DRIE!'

Rik laat de vlieger los.

Kim rent zo hard ze kan.

De vlieger gaat de lucht in.

Hij duikt omlaag.

Kim trekt hard aan het touw.

Hij gaat weer de lucht in.

Steeds hoger.

Rik rent naar Kim.

'Mag ik hem nu?'

Kim geeft de klos aan Rik.

De vlieger trekt aan het touw.

Rik houdt het touw goed vast.

17. BRAM PLAAGT RIK

Bram komt het schoolplein op lopen.

Met een voetbal onder zijn arm.

Hij ziet Kim en Rik.

En de vlieger.

'Mag ik ook?' vraagt hij.

'Nee', zegt Kim.

'Mag ik na jou, Rik?' vraagt Bram.

Rik zegt niks.

'Doe niet zo flauw!' zegt Bram.

'Ik mag toch ook wel?'

Hij geeft de bal een harde trap.

De bal knalt tegen de muur.

'Mag ik nou?' vraagt hij weer.

Rik houdt het touw goed vast.

Hij wil niet met Bram spelen.

Bram wordt boos.

'Rik heeft luizen!' plaagt hij.

Rik kijkt opzij.

'Doe niet zo stom!'

'Ga weg', zegt Kim.

 Bram lacht gemeen.

'Jij hebt zeker ook luizen?'

'Niet waar', zegt ze.

Bram gelooft haar niet.

'Ik heb ze écht niet!'

'Ga weg, joh!' roept Rik.

Bram gaat niet weg.

'Rik is een viespeuk, dat is leuk', zegt hij.

Rik schopt opzij.

Bram springt aan de kant.

Dan geeft hij Rik een duw.

Rik struikelt.

Hij laat het touw los.

Daar gaat de vlieger.

De wind neemt hem mee.

18. EEN RAADSEL

Rik wil niet meer naast Bram zitten.

Hij vraagt aan meester Jos een andere plaats.

En hij vertelt alles.

Van het plagen.

Van de vlieger die weg is.

Alles!

Meester Jos kijkt ernstig.

'Zo', zegt hij.

Meer niet.

Rik krijgt een andere plaats.

Naast Kim.

Meester Jos vertelt uit de Bijbel.

Ze bidden.

Daarna zingen ze liedjes.

De les begint.

De meester zegt niets over de vlieger.

Ook niets over het plagen.

In de pauze speelt Rik met Kim.
Bram voetbalt met Hans.
De bel gaat.
De pauze is voorbij.
Ze gaan naar binnen.

In de klas staat een grote doos.
Er zit een gouden strik omheen.

Meester Jos staat ernaast.

'Wat zit erin, meester?' vraagt Rik.

'We maken eerst een kring', zegt de meester.

In een grote kring zitten ze om de doos.

'Wat is het, meester?'

Meester Jos pakt zijn stoel.

En zet die naast de doos.

Hij gaat zitten.

'Luister,' zegt hij.

'Dit is een raadsel.'

19. FLAPPIE

'Het is lief en zacht en het snuffelt.

Wat is dat?'

'Een muis, meester?' vraagt Bram.

'Nee.'

Rik steekt zijn vinger op.

'Is het een poes, meester?'

'Of een hondje?'

'Mis', zegt meester Jos.

'Ik laat het zien.'

Hij maakt de strik los.

Rik loopt naar de doos.

'Op je stoel, Rik.'

Rik gaat gauw zitten.

Er komt een grijs konijn uit de doos.

'Oohh', roept iedereen.

'Wat lief.'

'Mag ik hem aaien?'

'Hoe heet hij?'

Meester Jos zet het konijn op schoot.

'Dit is Flappie.

Hij is drie jaar.

Ik vond hem in een kooi op straat.

Bij het vuilnis.'

'Dat is gemeen!' roept Rik.

'Dat vond ik ook, Rik.

Flappie was erg mager.

Hij was ook bang.

Hij zat in een hoek van de kooi.'

'Van wie was hij, meester?' vraagt Rik.

'Van een meneer.

Ik ging met Flappie naar hem toe.'

'Wat zei hij?' vraagt Kim.

'Hij zei: Ga weg met dat vieze beest.

Hij heeft luizen.

Ik wil hem niet meer.'

'Flappie is niet vies', zegt Kim.

'Nee', roept Bram.
'Flappie is niet vies.
Hij is juist lief!
Ik wil ook een konijn.
Gemeen van die meneer, zeg!'
'Goed dat je dat zegt, Bram.

Als je luizen hebt, ben je zelf niet vies.'

Nu is Bram stil.

Hij snapt wat meester Jos bedoelt.

20. STOPPEN MET PLAGEN

Het is heel stil in de klas.

Bram wiebelt op zijn stoel.

Hij kijkt naar de grond.

Hij zegt niks.

Dan haalt hij diep adem.

'Sorry', zegt hij.

Hij kijkt naar Rik.

'Je bent niet vies.'

Rik en Bram geven elkaar een hand.

'Het is toch raar', zegt meester Jos.

'Dat er ruzie is om hoofdluis.

Je gaat elkaar plagen.

Je doet nare dingen.

Weten jullie waarom?'

De meester kijkt Bram aan.

'Ik weet het niet', zegt Bram.

'Als je een ander uitscheldt,' zegt meester Jos,

'is het net of je zelf geen luizen hebt.'

'Ik wíl geen luizen hebben', zegt Bram.

'Niemand wil luizen, Bram', zegt de meester.

'Maar soms zitten ze toch in je haar.

Daar kun je niets aan doen.

Je schaamt je en dus ga je plagen.

Zullen we daar mee stoppen?'

'Jáááá', roept iedereen.

Flappie schrikt ervan.

Hij maakt een rare sprong.

De meester zet hem terug in de doos.

Ze gaan aan hun tafel zitten.

Meester Jos deelt papier uit.

Het is een kleurplaat.

Rik haalt stiften.

Hij deelt ze uit.

Nu is het weer leuk op school.

Opeens staat Bram naast hem.

'Mag ik weer naast je zitten?' vraagt hij.

21. EEN NIEUWE VLIEGER

De hut is klaar.

Papa heeft een deur gemaakt.

Met een echt slot erop.

Rik en Kim spelen in de hut.

Kim is moeder.

Rik is vader.

Ze hebben echte thee.

En echte koekjes.

Klop – klop – klop.

'Rik? Kim?'

'Het is Bram', zegt Kim.

Rik doet de deur open.

'Wat is er?'

'Ik heb iets voor Kim.'

Rik gaat opzij.

Bram stapt naar binnen.

'Hier', zegt hij.

Kim maakt het pak open.

Het is een nieuwe vlieger.

'Dank je wel', zegt ze.

Bram gaat weer weg.

'Zullen we straks naar het schoolplein gaan?'

vraagt Rik.

'Eerst thee drinken, zegt Kim.'

'En koekjes eten.'

Als alles op is, gaan Rik en Kim naar school.

Ze klimmen over het hek.

Rik houdt de vlieger omhoog.

Kim houdt de klos met touw vast.

Rik telt.

'EEN...

TWEE...

DRIE!'

Hij laat de vlieger los.

Kim blijft staan.

Ze rent niet weg.

De vlieger valt op de grond.

'Wat doe je nou?' roept Rik.

'Zullen we vragen of Bram meedoet?'

vraagt Kim.

'Bram!?' roept Rik.

Hij denkt even na.

'Oké.'